Albert Lamorisse

# LE BALLON ROUGE

l'école des loisirs
11, rue de Sèvres à Paris 6ᵉ

Il y avait une fois un petit garçon du nom de Pascal. Il n'avait ni frère ni sœur et il était triste d'être seul à la maison.

Un jour il avait ramené un chat perdu et aussi, plus tard, un jeune chien abandonné. Mais sa maman trouvait que ces bêtes salissaient trop. Et Pascal se retrouvait toujours seul sur les parquets bien cirés de l'appartement de sa maman.

Or, un matin, sur le chemin de l'école, il aperçut, accroché à un bec de gaz, un beau ballon rouge.

Pascal posa sa serviette par terre, monta au réverbère, décrocha le ballon et courut avec lui jusqu'à sa station d'autobus.

Mais le receveur connaissait le règlement : « On ne doit laisser monter ni les chiens, ni les gros colis, ni les ballons à gaz ».

Ceux qui ont des chiens vont à pied,

Ceux qui ont des colis prennent un taxi,

Ceux qui ont des ballons les lâchent.

Pascal ne voulait pas lâcher son ballon. Le receveur tira donc la sonnette, et l'autobus partit sans lui.

L'école était loin ; quand Pascal arriva, la porte était fermée. Arriver en retard et avec un ballon, on n'avait jamais vu ça : Pascal était très ennuyé.

Il eut alors l'idée de confier son ballon au concierge qui balayait la cour. Et comme c'était la première fois qu'il arrivait en retard il ne fut pas puni.

A la sortie, le concierge qui avait gardé le ballon dans sa loge le lui rendit.

Mais la pluie s'était mise à tomber. Pascal devait rentrer à pied à cause de ce fâcheux règlement des autobus.

Comme il ne voulait pas mouiller son ballon, il demanda à un vieux monsieur qui passait la permission de s'abriter sous son parapluie, et ainsi, de parapluie en parapluie, il arriva chez lui.

Sa maman était contente de le voir enfin de retour ; elle avait été très inquiète. Quand elle sut que c'était à cause du ballon que Pascal rentrait en retard, elle se mit en colère, prit le ballon, ouvrit la fenêtre et le jeta dehors.

Lorsqu'on lâche un ballon, il s'envole et disparaît. Mais le ballon de Pascal resta devant la fenêtre. Pascal et lui se regardèrent à travers la vitre. L'enfant était surpris que son ballon fût revenu, mais pas tellement. Un ami peut faire n'importe quoi pour vous; et si c'est un ballon, ne pas s'envoler. Pascal ouvrit doucement la fenêtre, l'attrapa et alla le cacher dans sa chambre.

Le lendemain, avant de partir pour l'école, Pascal eut soin d'ouvrir la fenêtre à son ballon et il lui recommanda de venir le rejoindre quand il l'appellerait.

Il prit sa serviette, embrassa sa maman et descendit les escaliers.

Arrivé dans la rue il cria : « Ballon ! Ballon ! » Aussitôt, le ballon vola vers lui. Et le ballon commença à suivre Pascal, sans être attaché, comme un chien suit son maître.

Mais, comme les chiens, le ballon n'était pas très obéissant. Et quand Pascal voulut l'attraper pour traverser la rue, le ballon s'échappa.

Pascal fit semblant de ne plus faire attention à lui. Il marcha dans la rue comme si le ballon n'existait pas et alla se cacher au coin d'une maison. Le ballon, inquiet, se dépêcha de rejoindre Pascal.

Arrivé à la station d'autobus, Pascal fit ses recommandations au ballon : « Suis-moi bien, Ballon, ne perds pas de vue l'autobus ». On vit alors dans les rues de Paris cette chose étonnante : un ballon qui voltigeait derrière un autobus !

Arrivé devant l'école, voilà que le ballon, de nouveau, ne voulut pas se laisser attraper. Comme la cloche sonnait et que la porte allait se fermer, Pascal fut obligé d'entrer tout seul, assez inquiet.

Mais le ballon passa par-dessus le mur et vint se mettre en rang derrière les enfants.

Le maître fut très étonné de voir ce nouvel élève bizarre, et quand le ballon voulut entrer dans la classe, les enfants poussèrent de tels cris que le directeur de l'école vint s'informer de ce qu'il y avait.

Le directeur essaya d'attraper le ballon pour le mettre à la porte. Ne pouvant y parvenir, il prit Pascal par le bras et l'emmena. Le ballon sortit de la classe et les suivit.

Le directeur, qui devait se rendre à la mairie et ne savait que faire de Pascal, l'enferma dans son bureau. Le ballon, se dit-il, restera devant la porte.

Mais le ballon en décida autrement. Comme il avait vu le directeur mettre la clef dans sa poche, il vola derrière lui dans la rue.

Les gens du quartier, qui connaissaient bien le directeur et qui le voyaient passer avec le ballon, hochaient la tête : « Monsieur le Directeur s'amuse. Ce n'est pas sérieux. Un directeur d'école ne devrait pas faire ainsi le gamin. »

Le pauvre homme fit bien des efforts pour attraper le ballon, mais en vain, et il dut se résigner à aller ainsi jusqu'à la mairie où le ballon l'attendit. Quand le directeur revint à l'école, le ballon le suivait toujours. Pour se débarrasser de lui le directeur délivra Pascal et fut bien soulagé de les voir partir tous les deux.

Sur le chemin du retour, Pascal s'arrêta devant un tableau qui était exposé à la Foire à la Ferraille. Une fillette y était représentée avec son cerceau. Il aurait aimé avoir une petite amie comme ça.

Et justement voilà qu'un peu plus loin il rencontra une vraie petite fille. Elle ressemblait à celle du tableau. Elle avait une jolie robe blanche et tenait à la main un ballon bleu.

Pascal voulut lui montrer que son ballon à lui était magique. Mais le ballon ne voulut pas se laisser prendre, et la petite fille se mit à rire.

Pascal était vexé. « Ce n'est pas la peine d'être apprivoisé si l'on est désobéissant », se disait-il, quand justement des voyous voulurent s'emparer de son ballon qui traînait derrière lui. Le ballon, voyant le danger, vola tout de suite vers Pascal qui l'attrapa et se mit à courir avec lui. Mais d'autres voyous surgirent devant eux.

Pascal lâcha son ballon, qui s'éleva dans le ciel, et pendant ce temps il se faufila parmi les voyous qui regardaient le ballon s'envoler.

Arrivé en haut des escaliers, Pascal appela le ballon et celui-ci vint le rejoindre au grand ébahissement des voyous. Tous deux purent ainsi rentrer à la maison sans être rattrapés.

Le lendemain était un dimanche. Avant de partir pour la messe, Pascal recommanda au ballon de rester tranquillement à la maison, de ne rien casser et surtout de ne pas sortir.

Mais le ballon n'en faisait qu'à sa tête. A peine Pascal et sa mère étaient-ils assis dans l'église que Ballon apparut et vint se placer derrière eux.

Cette présence était extrêmement déplacée. Tout le monde regardait le ballon et personne n'écoutait plus la messe. Pascal dut s'enfuir, poursuivi par le Suisse. Décidément, le ballon n'était pas raisonnable. Pascal avait bien du souci.

Ces émotions lui avaient donné faim. Et comme il avait encore dans sa poche l'argent de la quête, il entra dans une pâtisserie pour s'acheter un gâteau. Auparavant il fit au ballon ses recommandations d'usage : « Ballon, sois sage. Attends-moi là sans bouger. »

Le ballon n'alla que jusqu'au coin de la boutique pour se chauffer au soleil. Mais c'était déjà trop loin, car les voyous de la veille l'aperçurent et pensèrent que c'était le bon moment pour s'en emparer. Sans être vus ils s'approchèrent, sautèrent sur le ballon et s'enfuirent avec lui.

Quand Pascal sortit de la pâtisserie, plus de ballon. Il courut dans tous les sens en regardant en l'air. Le ballon lui avait encore désobéi! Il était sans doute allé faire un tour. Il eut beau l'appeler de toutes ses forces, le ballon ne revint pas.

Les voyous attachèrent le ballon à une grosse corde et ils essayèrent de le dresser. « On le montrera dans les foires, ce ballon magique », disait le chef de bande. Et il menaçait le ballon d'un bâton : « Viens ici ou je te crève. »

33

Heureusement Pascal aperçut derrière un mur le ballon qui tirait désespérément sur sa grosse corde, et il l'appela.

Aussitôt qu'il entendit son maître, le ballon vola vers lui. Pascal dénoua la corde et déguerpit avec lui.

Les voyous se mirent à la poursuite de Pascal. Par leurs clameurs ils ameutèrent le quartier, comme si Pascal leur avait volé le ballon.

Pascal courait aussi vite qu'il pouvait. Il se disait : « j'arriverai à me cacher dans la foule. » Malheureusement le ballon rouge se voyait de loin.

Pascal, pour semer la bande, s'enfuit vers des ruelles qu'il connaissait bien.

Un moment, les voyous se demandèrent si Pascal était passé à droite ou à gauche. Ils se séparèrent en plusieurs groupes. Pascal crut un instant leur avoir échappé et déjà il cherchait un endroit pour se reposer. Tout à coup, au coin d'une rue, il se trouva nez à nez avec un voyou. Il fit demi-tour, mais au bout de la rue d'autres garnements arrivaient. Il se précipita dans une ruelle qui s'ouvrait devant lui et qui le mena à un terrain vague. Là, il se crut sauvé.

Mais pas du tout! Soudain, les voyous apparurent, venant de toutes les directions : Pascal était cerné.

Il lâcha bien le ballon. Mais cette fois-ci, au lieu de poursuivre le ballon, les voyous s'attaquèrent à Pascal. Le ballon s'était un peu éloigné; cependant, voyant son ami qui se battait, il revint sur les lieux et les voyous commencèrent à lui lancer des pierres.

Et Pascal criait : « Va-t'en, Ballon, va-t'en! » Mais le ballon ne voulait pas abandonner son ami que l'on battait.

C'est ainsi qu'une pierre creva le ballon.

Et pendant que Pascal pleurait son ballon mort, un fait étrange se produisit. De partout on vit des ballons s'envoler et se rejoindre en longues files dans le ciel.

C'était la grande révolte des ballons.

Tous les ballons descendirent vers Pascal, dansèrent autour de lui, emmêlèrent leurs ficelles et l'enlevèrent dans le ciel.

Et Pascal commença un immense voyage autour de la terre.